dding

0	1	2	3	4	5	6	7

+ 2 = ☐   2 + 3 = ☐   1 + 5 = ☐

+ 5 = ☐   6 + 2 = ☐   9 + 1 = ☐

+ 2 = ☐   5 + 5 = ☐   4 + 5 = ☐

+ 8 = ☐   1 + 7 = ☐   3 + 4 = ☐

+ 3 = ☐   8 + 2 = ☐   6 + 3 = ☐

+ 6 = ☐   2 + 5 = ☐   1 + 7 = ☐

+ 4 = ☐   1 + 8 = ☐   8 + 0 = ☐

+ 3 = ☐   4 + 4 = ☐   2 + 7 = ☐

king away

9	8	7	6	5	4	3	2	1	0

− 1 = ☐   3 − 2 = ☐   4 − 1 = ☐

− 3 = ☐   6 − 4 = ☐   8 − 6 = ☐

− 2 = ☐   8 − 5 = ☐   10 − 1 = ☐

− 4 = ☐   7 − 3 = ☐   6 − 0 = ☐

− 3 = ☐   9 − 2 = ☐   7 − 7 = ☐

− 2 = ☐   10 − 5 = ☐   6 − 3 = ☐

− 1 = ☐   4 − 4 = ☐   9 − 6 = ☐

− 6 = ☐   5 − 0 = ☐   10 − 10 = ☐

Counting on

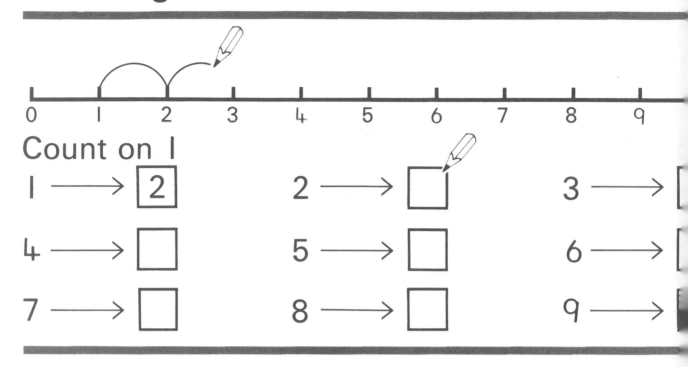

Count on 1

1 ⟶ 2   2 ⟶ ☐   3 ⟶ ☐

4 ⟶ ☐   5 ⟶ ☐   6 ⟶ ☐

7 ⟶ ☐   8 ⟶ ☐   9 ⟶

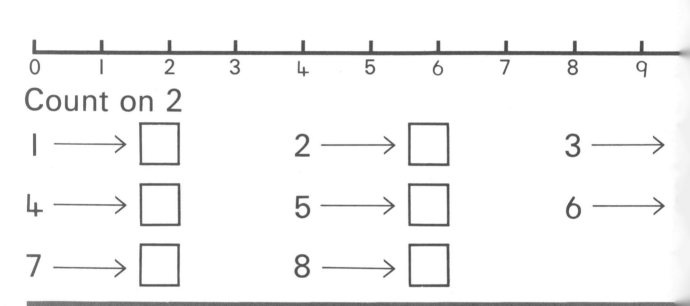

Count on 2

1 ⟶ ☐   2 ⟶ ☐   3 ⟶

4 ⟶ ☐   5 ⟶ ☐   6 ⟶

7 ⟶ ☐   8 ⟶ ☐

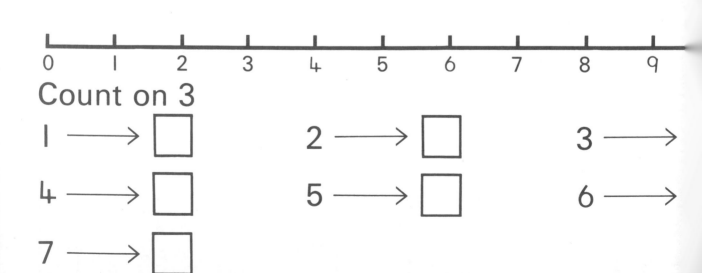

Count on 3

1 ⟶ ☐   2 ⟶ ☐   3 ⟶

4 ⟶ ☐   5 ⟶ ☐   6 ⟶

7 ⟶ ☐

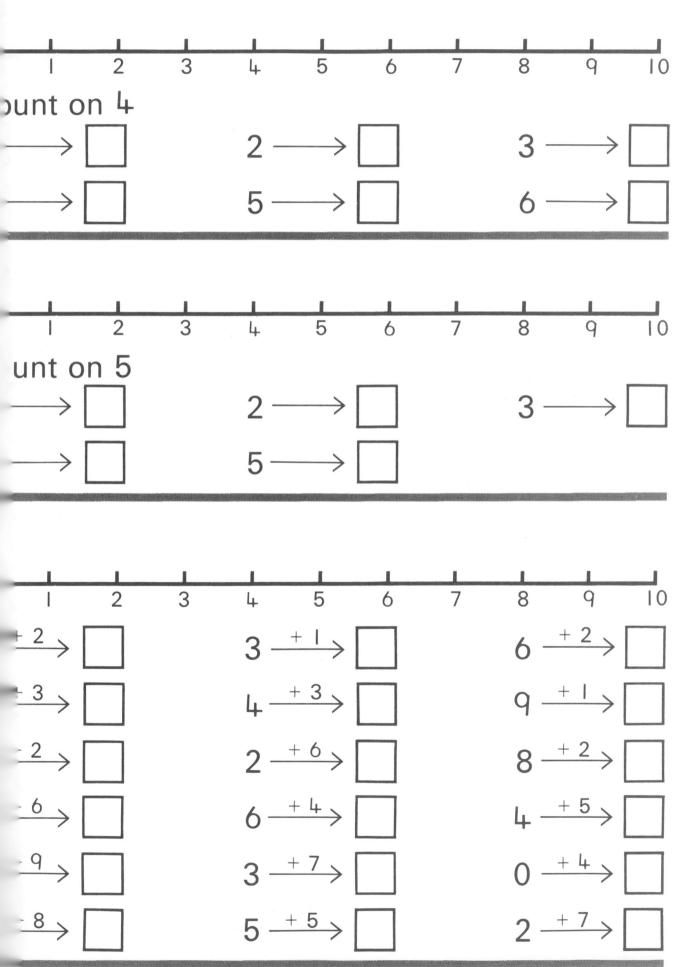

ount on 4

unt on 5

Using an equalizer

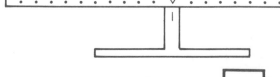

1 + 2 = ☐

2 + 1 = ☐

2 + 3 = ☐

4 + 2 = ☐

5 + 2 = ☐

3 + 5 = ☐

6 + 1 = ☐

3 + 2 = ☐

1 + 7 = ☐

4 + 3 = ☐

1 + 3 = ☐

5 + 4 = ☐

2 + 8 = ☐

5 + 4 = ☐

7 + 3 = ☐

3 + 6 = ☐

1 + 8 = ☐

4 + 6 = ☐

4 + 1 = ☐

6 + 4 = ☐

2 + 4 = ☐

3 + 3 = ☐

9 + 1 = ☐

2 + 7 = ☐

dding

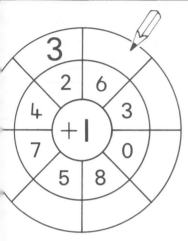
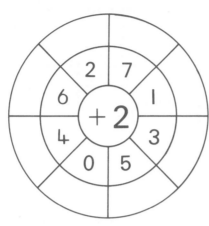
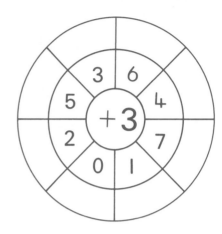

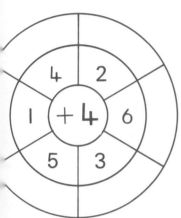
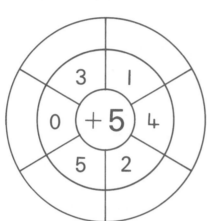
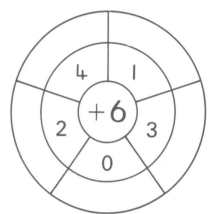

king away

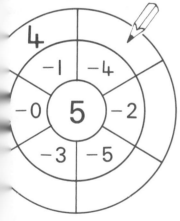
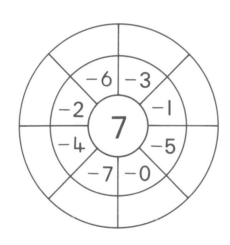
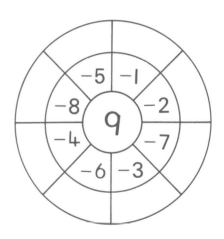

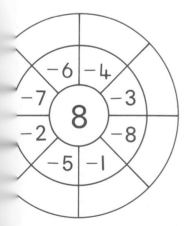
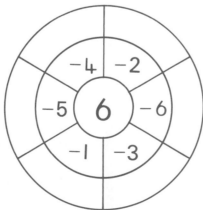
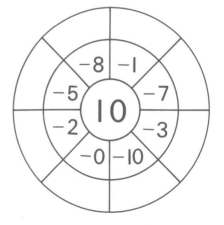

Adding

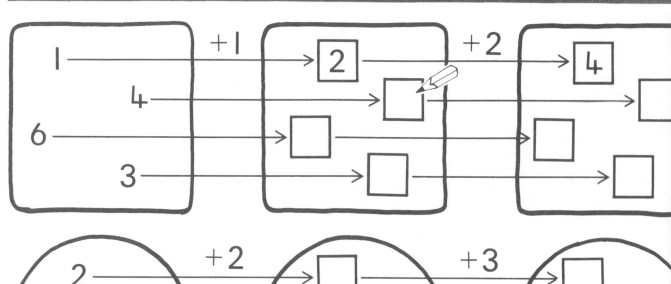

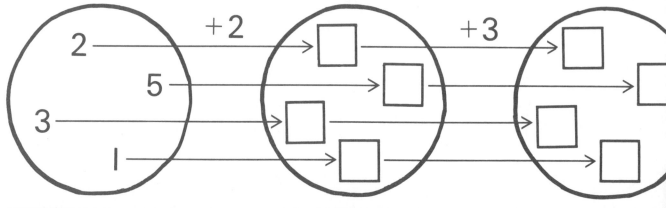

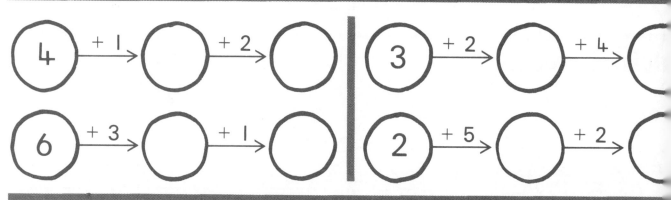

5 + 1 + 2 = ☐   7 + 3 + 0 = ☐

6 + 2 + 1 = ☐   4 + 1 + 4 = ☐

3 + 3 + 3 = ☐   6 + 2 + 2 = ☐

2 + 8 + 0 = ☐   1 + 7 + 1 = ☐

3 + 4 + 3 = ☐   5 + 3 + 2 = ☐

4 + 2 + 3 = ☐   1 + 0 + 9 = ☐

ow much money?

se 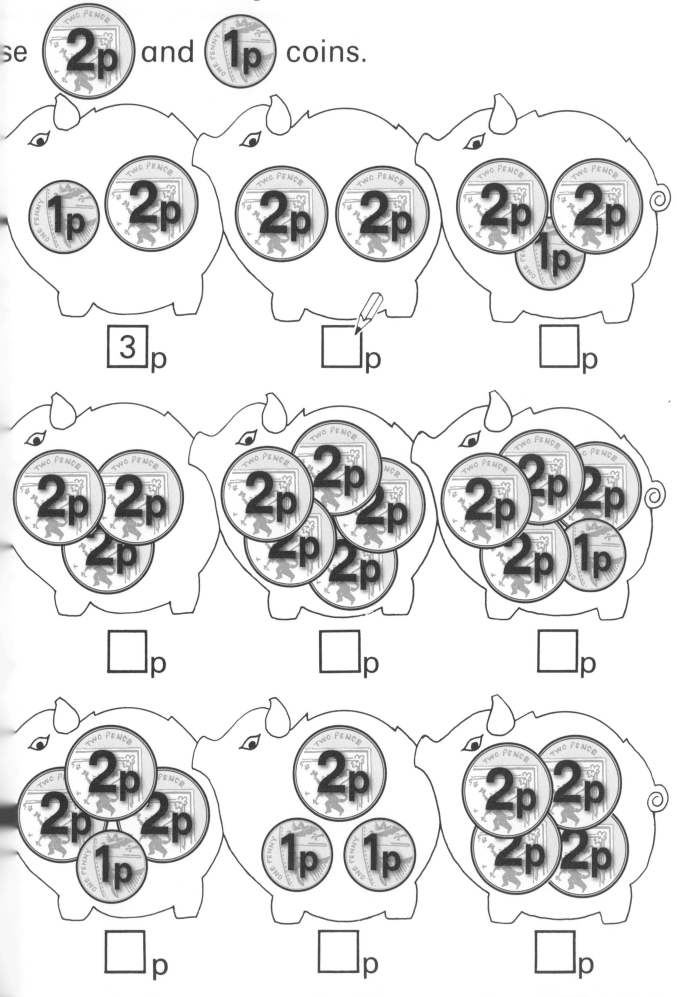 and coins.

3 p

☐ p

☐ p

☐ p

☐ p

☐ p

☐ p

☐ p

☐ p

Making up values

Use **2p** and **1p** coins.

3p	(2p)	(1p)
4p		
7p		
9p		
5p		
8p		
6p		
10p		

dding then taking away

0	1	2	3	4	5	6	7	8	9	10

$4 + 3 - 2 = \boxed{5}$ $\qquad$ $6 + 3 - 7 = \square$

$3 + 4 - 6 = \square$ $\qquad$ $5 + 4 - 6 = \square$

$9 + 1 - 8 = \square$ $\qquad$ $2 + 7 - 5 = \square$

$2 + 6 - 1 = \square$ $\qquad$ $4 + 4 - 2 = \square$

$2 + 5 - 4 = \square$ $\qquad$ $3 + 5 - 2 = \square$

$4 + 2 - 3 = \square$ $\qquad$ $8 + 1 - 6 = \square$

$5 + 5 - 6 = \square$ $\qquad$ $2 + 3 - 4 = \square$

$3 + 6 - 7 = \square$ $\qquad$ $9 + 1 - 3 = \square$

$7 + 2 - 6 = \square$ $\qquad$ $3 + 7 - 6 = \square$

$6 + 1 - 3 = \square$ $\qquad$ $5 + 1 - 5 = \square$

$2 + 7 - 4 = \square$ $\qquad$ $7 + 2 - 4 = \square$

$9 + 1 - 5 = \square$ $\qquad$ $5 + 5 - 8 = \square$

Shopping

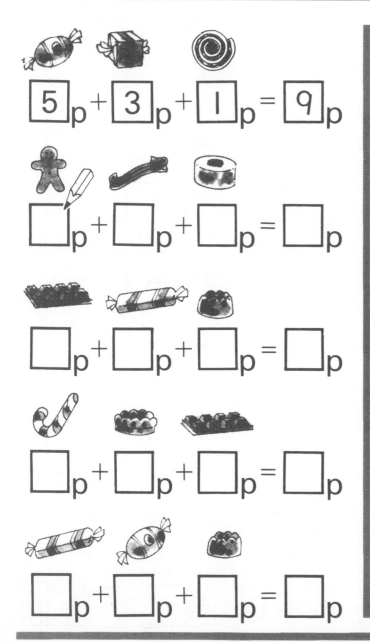

$\boxed{5}\text{p} + \boxed{3}\text{p} + \boxed{1}\text{p} = \boxed{9}\text{p}$

$\boxed{}\text{p} + \boxed{}\text{p} + \boxed{}\text{p} = \boxed{}\text{p}$

$\boxed{}\text{p} + \boxed{}\text{p} + \boxed{}\text{p} = \boxed{}\text{p}$

$\boxed{}\text{p} + \boxed{}\text{p} + \boxed{}\text{p} = \boxed{}\text{p}$

$\boxed{}\text{p} + \boxed{}\text{p} + \boxed{}\text{p} = \boxed{}\text{p}$

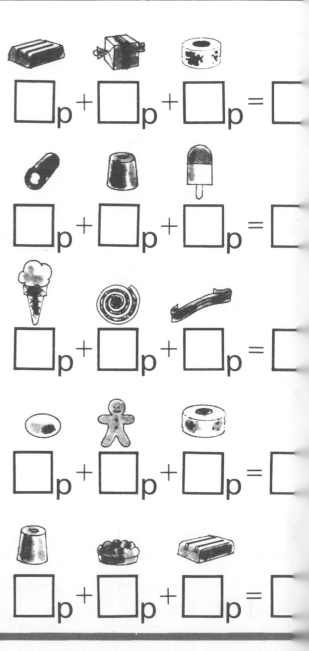

$\boxed{}\text{p} + \boxed{}\text{p} + \boxed{}\text{p} = \boxed{}$

$\boxed{}\text{p} + \boxed{}\text{p} + \boxed{}\text{p} = \boxed{}$

$\boxed{}\text{p} + \boxed{}\text{p} + \boxed{}\text{p} = \boxed{}$

$\boxed{}\text{p} + \boxed{}\text{p} + \boxed{}\text{p} = \boxed{}$

$\boxed{}\text{p} + \boxed{}\text{p} + \boxed{}\text{p} = \boxed{}$

se

2 p + 🥧 1 p = 3 p

10p − 3 p = 7 p

□ p + 🧁 □ p = □ p

10p − □ p = □ p

□ p + 🍰 □ p = □ p

10p − □ p = □ p

□ p + 🍖 □ p = □ p

10p − □ p = □ p

□ p + 🌭 □ p = □ p

10p − □ p = □ p

□ p + 🥧 □ p = □ p

10p − □ p = □ p

□ p + 🧁 □ p = □ p

10p − □ p = □ p

□ p + 🍥 □ p = □ p

10p − □ p = □ p

The story of 5

$\boxed{1}$ + $\boxed{4}$ = 5

$\boxed{}$ + $\boxed{}$ =

$\boxed{}$ + $\boxed{}$ = 5

$\boxed{}$ + $\boxed{}$ =

$\boxed{}$ + $\boxed{}$ = 5

$\boxed{}$ + $\boxed{}$ =

---

1 + $\boxed{}$ = 5   3 + $\boxed{}$ = 5   2 + $\boxed{}$ =

0 + $\boxed{}$ = 5   4 + $\boxed{}$ = 5   5 + $\boxed{}$ =

$\boxed{}$ + 4 = 5 $\boxed{}$ + 2 = 5 $\boxed{}$ + 1 =

$\boxed{}$ + 3 = 5 $\boxed{}$ + 0 = 5 $\boxed{}$ + 5 =

---

5 − $\boxed{}$ = 3   5 − $\boxed{}$ = 2   5 − $\boxed{}$ =

5 − $\boxed{}$ = 0   5 − $\boxed{}$ = 1   5 − $\boxed{}$ =

14

The story of 6

$\square$ + $\square$ = 6

$\square$ + $\square$ = 6

$\square$ + $\square$ = 6

$\square$ + $\square$ = 6

$\square$ + $\square$ = 6

$\square$ + $\square$ = 6

$\square$ + $\square$ = 6

+ $\square$ = 6

+ $\square$ = 6

4 + $\square$ = 6

2 + $\square$ = 6

6 + $\square$ = 6

3 + $\square$ = 6

0 + $\square$ = 6

$\square$ + 2 = 6

$\square$ + 0 = 6

$\square$ + 5 = 6

$\square$ + 1 = 6

$\square$ + 4 = 6

$\square$ + 3 = 6

$\square$ + 6 = 6

− $\square$ = 2

− $\square$ = 4

6 − $\square$ = 5

6 − $\square$ = 0

6 − $\square$ = 6

6 − $\square$ = 3

6 − $\square$ = 1

15

The story of 7

□ + □ = 7

□ + □ = 7

□ + □ = 7

□ + □ = 7

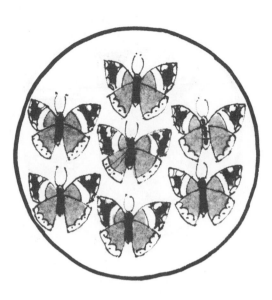

□ + □ =

□ + □ =

□ + □ =

□ + □ =

---

2 + □ = 7

7 + □ = 7

0 + □ = 7

4 + □ = 7

3 + □ = 7

5 + □ = 7

1 + □ =

6 + □ =

□ + 3 = 7

□ + 7 = 7

□ + 5 = 7

□ + 6 = 7

□ + 1 = 7

□ + 0 = 7

□ + 2 =

□ + 4 =

---

7 − □ = 6

7 − □ = 4

7 − □ = 3

7 − □ = 0

7 − □ = 1

7 − □ = 5

7 − □ =

7 − □ =

The story of 8

$\square + \square = 8$

$\square + \square = 8$

$\square + \square = 8$

$\square + \square = 8$

$\square + \square = 8$

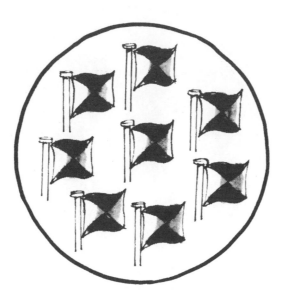

$\square + \square = 8$

$\square + \square = 8$

$\square + \square = 8$

$\square + \square = 8$

$+ \square = 8$

$+ \square = 8$

$+ \square = 8$

$3 + \square = 8$

$0 + \square = 8$

$8 + \square = 8$

$6 + \square = 8$

$4 + \square = 8$

$7 + \square = 8$

$\square + 4 = 8$

$\square + 8 = 8$

$\square + 6 = 8$

$\square + 2 = 8$

$\square + 5 = 8$

$\square + 0 = 8$

$\square + 7 = 8$

$\square + 1 = 8$

$\square + 3 = 8$

$- \square = 2$

$- \square = 8$

$- \square = 5$

$8 - \square = 6$

$8 - \square = 3$

$8 - \square = 1$

$8 - \square = 4$

$8 - \square = 0$

$8 - \square = 7$

17

The story of 9

$\square + \square = 9$

$\square + \square = 9$

$\square + \square = 9$

$\square + \square = 9$

$\square + \square = 9$

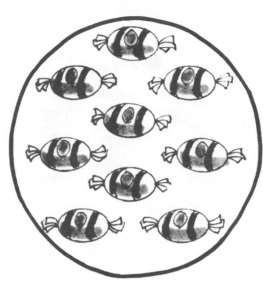

$\square + \square =$

$\square + \square =$

$\square + \square =$

$\square + \square =$

$\square + \square =$

$4 + \square = 9$

$0 + \square = 9$

$5 + \square = 9$

$2 + \square = 9$

$7 + \square = 9$

$1 + \square = 9$

$6 + \square = 9$

$8 + \square =$

$3 + \square =$

$9 + \square =$

$\square + 2 = 9$

$\square + 1 = 9$

$\square + 0 = 9$

$\square + 5 = 9$

$\square + 3 = 9$

$\square + 8 = 9$

$\square + 4 = 9$

$\square + 9 =$

$\square + 6 =$

$\square + 7 =$

$9 - \square = 8$

$9 - \square = 0$

$9 - \square = 6$

$9 - \square = 3$

$9 - \square = 9$

$9 - \square = 2$

$9 - \square = 5$

$9 - \square =$

$9 - \square =$

$9 - \square =$

The story of 10

☐ + ☐ = 10   ☐ + ☐ = 10

☐ + ☐ = 10   ☐ + ☐ = 10

☐ + ☐ = 10   ☐ + ☐ = 10

☐ + ☐ = 10   ☐ + ☐ = 10

☐ + ☐ = 10   ☐ + ☐ = 10   ☐ + ☐ = 10

☐ + ☐ = 10   5 + ☐ = 10   0 + ☐ = 10

☐ + ☐ = 10   7 + ☐ = 10   4 + ☐ = 10

☐ + ☐ = 10   1 + ☐ = 10   10 + ☐ = 10

☐ + ☐ = 10   8 + ☐ = 10

☐ + 3 = 10   ☐ + 1 = 10   ☐ + 5 = 10

☐ + 0 = 10   ☐ + 6 = 10   ☐ + 10 = 10

☐ + 8 = 10   ☐ + 7 = 10   ☐ + 2 = 10

☐ + 4 = 10   ☐ + 9 = 10

☐ – ☐ = 4   10 – ☐ = 6   10 – ☐ = 3

☐ – ☐ = 10   10 – ☐ = 1   10 – ☐ = 7

☐ – ☐ = 5   10 – ☐ = 8   10 – ☐ = 0

☐ – ☐ = 2   10 – ☐ = 9

More and less

0	1	2	3	4	5	6	7	8	9	1(

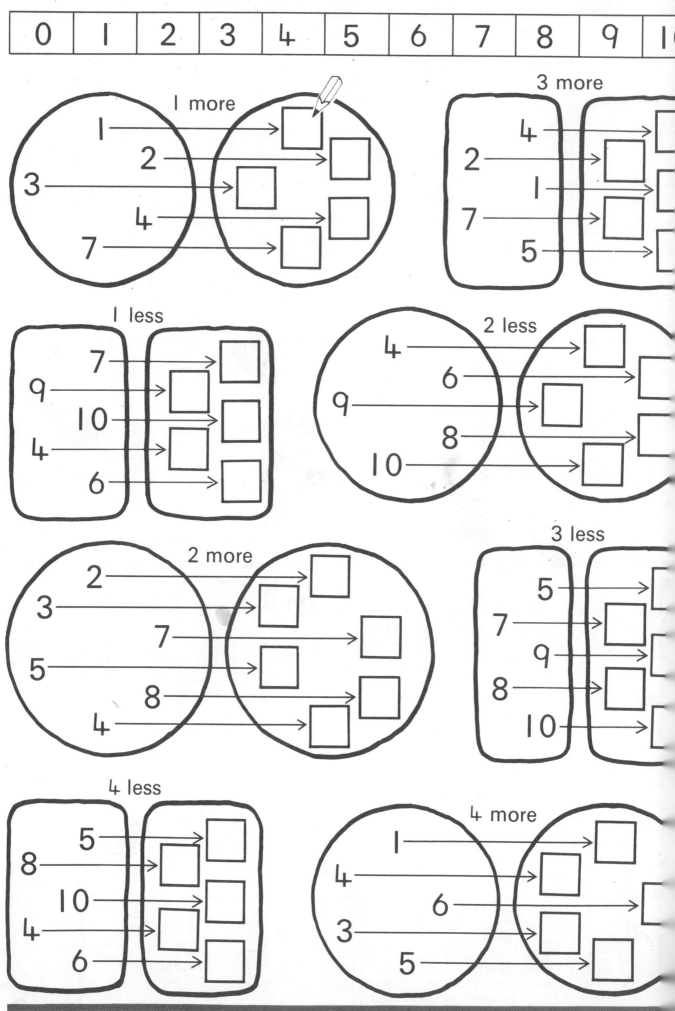

sing   coins

	5 p		☐ p
	☐ p		☐ p
	☐ p		☐ p
	☐ p	 	☐ p
	☐ p		☐ p
	☐ p		☐ p
	☐ p		☐ p
	☐ p		☐ p

Using  with  and  coins

6 p (5p) (1p)	7 p (5p)
8 p (5p)	8 p (5p)
9 p (5p)	9 p (5p)
10 p (5p)	10 p (5p)

Using an equalizer

$3 + \square = 5$

$4 + \square = 5$

$2 + \square = 5$

$0 + \square = 5$

$1 + \square = 5$

$5 + \square = 5$

$4 + \square = 6$

$3 + \square = 6$

$5 + \square = 6$

$2 + \square = 6$

$0 + \square = 6$

$1 + \square = 6$

$4 + \square = 7$

$1 + \square = 7$

$3 + \square = 7$

$6 + \square = 7$

$2 + \square = 7$

$5 + \square = 7$

$7 + \square = 8$

$4 + \square = 8$

$2 + \square = 8$

$5 + \square = 8$

$1 + \square = 8$

$8 + \square = 8$

Using an equalizer

$4 + \boxed{} = 9$

$8 + \boxed{} = 9$

$3 + \boxed{} = 9$

$5 + \boxed{} = 9$

$2 + \boxed{} = 9$

$6 + \boxed{} = 9$

$8 + \boxed{} = 10$

$4 + \boxed{} = 10$

$7 + \boxed{} = 10$

$3 + \boxed{} = 10$

$6 + \boxed{} = 10$

$2 + \boxed{} = 10$

$1 + \boxed{} = 2$

$2 + \boxed{} = 3$

$3 + \boxed{} = 4$

$1 + \boxed{} = 1$

$2 + \boxed{} = 4$

$1 + \boxed{} = 3$

$2 + \boxed{} = 4$

$3 + \boxed{} = 3$

$1 + \boxed{} = 1$

$0 + \boxed{} = 3$

$1 + \boxed{} = 4$

$0 + \boxed{} = 2$

ounting back

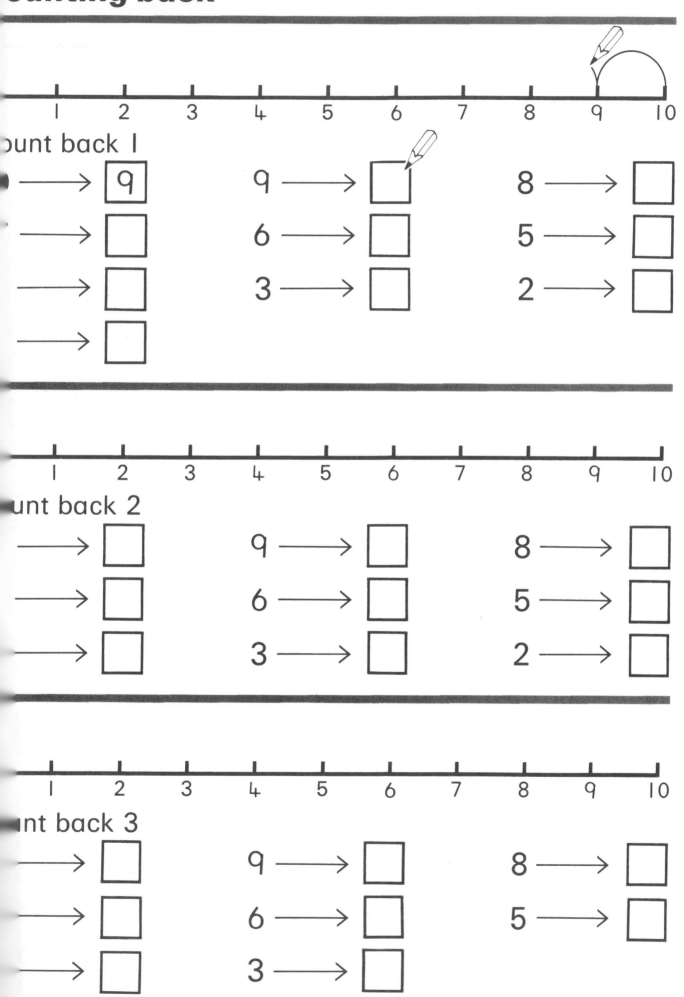

ount back 1

9 → ☐   8 → ☐
6 → ☐   5 → ☐
3 → ☐   2 → ☐

unt back 2

9 → ☐   8 → ☐
6 → ☐   5 → ☐
3 → ☐   2 → ☐

nt back 3

9 → ☐   8 → ☐
6 → ☐   5 → ☐
3 → ☐

25

Counting back

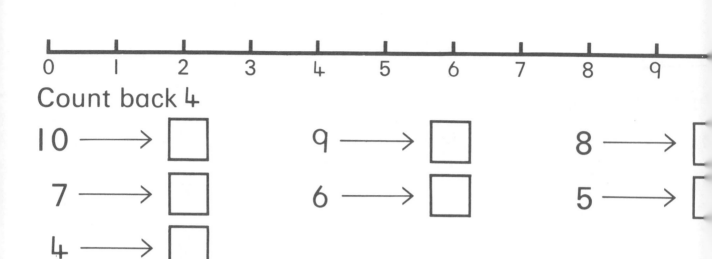

Count back 4

10 ⟶ ☐   9 ⟶ ☐   8 ⟶ [

7 ⟶ ☐   6 ⟶ ☐   5 ⟶ [

4 ⟶ ☐

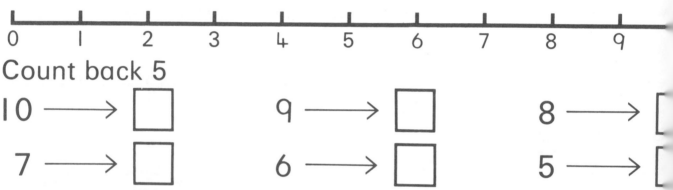

Count back 5

10 ⟶ ☐   9 ⟶ ☐   8 ⟶ [

7 ⟶ ☐   6 ⟶ ☐   5 ⟶ [

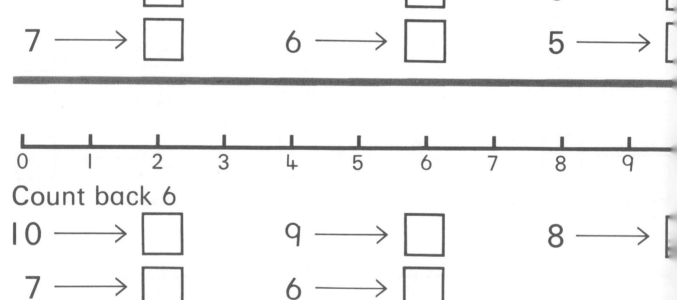

Count back 6

10 ⟶ ☐   9 ⟶ ☐   8 ⟶ [

7 ⟶ ☐   6 ⟶ ☐

$4 \xrightarrow{-2}$ ☐ $8 \xrightarrow{-3}$ ☐ $6 \xrightarrow{-5}$

$7 \xrightarrow{-3}$ ☐ $5 \xrightarrow{-4}$ ☐ $10 \xrightarrow{-1}$

$9 \xrightarrow{-6}$ ☐ $8 \xrightarrow{-7}$ ☐ $7 \xrightarrow{-2}$

Adding and taking away

add 1

5 ⟶ 6
3 ⟶ ☐
8 ⟶ ☐
6 ⟶ ☐
9 ⟶ ☐

add 3

4 ⟶ ☐
7 ⟶ ☐
5 ⟶ ☐
3 ⟶ ☐
6 ⟶ ☐

add 5

0 ⟶ ☐
3 ⟶ ☐
1 ⟶ ☐
5 ⟶ ☐
4 ⟶ ☐

take 2

3 ⟶ ☐
7 ⟶ ☐
10 ⟶ ☐
8 ⟶ ☐
2 ⟶ ☐

take 4

8 ⟶ ☐
5 ⟶ ☐
7 ⟶ ☐
4 ⟶ ☐
10 ⟶ ☐

take 1

3 ⟶ ☐
10 ⟶ ☐
5 ⟶ ☐
8 ⟶ ☐
1 ⟶ ☐

add 2

6 ⟶ ☐
3 ⟶ ☐
5 ⟶ ☐
8 ⟶ ☐
4 ⟶ ☐

add 4

1 ⟶ ☐
4 ⟶ ☐
6 ⟶ ☐
2 ⟶ ☐
5 ⟶ ☐

add 6

2 ⟶ ☐
4 ⟶ ☐
0 ⟶ ☐
3 ⟶ ☐
1 ⟶ ☐

take 6

7 ⟶ ☐
9 ⟶ ☐
0 ⟶ ☐
8 ⟶ ☐
6 ⟶ ☐

take 3

5 ⟶ ☐
8 ⟶ ☐
3 ⟶ ☐
10 ⟶ ☐
7 ⟶ ☐

take 5

6 ⟶ ☐
10 ⟶ ☐
8 ⟶ ☐
5 ⟶ ☐
7 ⟶ ☐

Missing numbers

⊡ • •	= 2	⊡ ••	= 3	⊡ ••	= 4
⊡ •••	= 5	⊡ ••••	= 4	⊡ ••••	= 5
⊡ ••	= 6	⊡ ••• •••	= 7	⊡ ••• ••• •••	=

| 4 | 3 | = 7 | 3 | | = 9 | 2 | | = 8 |
| 5 | | = 6 | 4 | | = 8 | 3 | | = |

2 + ☐ = 3   4 + ☐ = 7   1 + ☐ =

3 + ☐ = 9   6 + ☐ = 8   8 + ☐ =

| ⊡ • •• | = 3 | ⊡ •• • | = 4 | ⊡ •• • | = |
| ⊡ •• •• | = 8 | ⊡ •• • •• | = 9 | ⊡ ••• ••• | = |

| 6 | 1 | = 7 | | 5 | = 10 | | 2 | = |
| 2 | | = 4 | | 3 | = 7 | | 1 | = |

☐ + 1 = 2   ☐ + 3 = 5   ☐ + 2 =

☐ + 8 = 10   ☐ + 2 = 9   ☐ + 3 =

Missing numbers

+ ☐ = 4	5 + ☐ = 7	8 + ☐ = 9
+ ☐ = 7	4 + ☐ = 9	3 + ☐ = 5
+ ☐ = 10	1 + ☐ = 6	5 + ☐ = 10
+ ☐ = 8	6 + ☐ = 10	2 + ☐ = 8

☐ + 1 = 2	☐ + 3 = 6	☐ + 2 = 7
☐ + 4 = 8	☐ + 5 = 8	☐ + 3 = 10
☐ + 6 = 10	☐ + 1 = 7	☐ + 5 = 9
☐ + 3 = 7	☐ + 4 = 10	☐ + 9 = 10

– ☐ = 2	5 – ☐ = 3	8 – ☐ = 6
– ☐ = 3	9 – ☐ = 2	10 – ☐ = 7
– ☐ = 4	7 – ☐ = 6	9 – ☐ = 5
– ☐ = 1	4 – ☐ = 2	2 – ☐ = 0

+ ☐ = 8	☐ + 4 = 7	9 – ☐ = 1
+ 2 = 9	10 – ☐ = 4	2 + ☐ = 9
– ☐ = 3	3 + ☐ = 10	☐ + 6 = 8

29

Picture problems

Birds on the wall ☐

Birds in the tree ☐

Altogether there are ☐ birds.

5 fish but 2 fish got away.

There are ☐ fish in the net.

Frogs jumping ☐

Frogs sitting ☐

Altogether there are ☐ frogs.

8 apples were on the tree but 6 apples fell off.

There are ☐ left on the tree.

Buns in the box ☐

Buns on the plate ☐

Altogether there are ☐ buns.

I had 10p.

I bought a lolly for 4p.

I have ☐ p change.

icture problems

together there were ☐ eggs

t only ☐ eggs have hatched.

ere are ☐ eggs left to hatch.

There are ☐ books standing up.

☐ books have fallen down.

There are ☐ books altogether.

☐ candles are lit.

☐ candles are not lit.

ere are ☐ candles altogether.

There are 10 ducks altogether.

☐ ducks swim away.

There are ☐ ducks left.

d 10p.

ught a pencil for ☐ p.

ve ☐ p change.

There are ☐ hedgehogs.

There are ☐ mice.

There are ☐ worms.

There are ☐ animals altogether.

Schofield & Sims

the long-established educational publisher
specialising in maths, English and science materials for schools

Number Book is a series of graded activity books helping children to learn basic calculation skills, including addition, subtraction, multiplication and division.

Number Book 2 includes:

- Using a number line to count on and back
- The addition of three numbers; mixed addition and subtraction sums
- Number facts (for example, pairs of numbers that add up to 10)
- Comparing numbers to find which is 'more' or 'less'
- Addition and subtraction with one number hidden.

This book is suitable for children making the transition from the Early Years Foundation Stage to Key Stage 1 and those already in Key Stage 1.

The full range of titles in the series is as follows:

Number Book 1:   ISBN 978 07217 0788 4

Number Book 2:   ISBN 978 07217 0789 1

Number Book 3:   ISBN 978 07217 0790 7

Number Book 4:   ISBN 978 07217 0791 4

Number Book 5:   ISBN 978 07217 0792 1

Have you tried **Problem Solving** by Schofield & Sims?
This series helps children to sharpen their mathematical skills by applying their knowledge to a range of number problems and 'real-life' contexts.

For further information and to place your order
visit www.schofieldandsims.co.uk or telephone 01484 607080

ISBN 978 07217 0789 1

£2.45
(Retail price)

Key Stage 1
Age range: 5–7 years
(Books at either end of the series incorporate some overlap with earlier and later key stages to support transition)

ISBN 978-07217-0789-1

9 780721 707891

Schofield & Sims

Dogley Mill, Fenay Bridge, Huddersfield HD8 0NQ
Phone: 01484 607080 Facsimile: 01484 606815
E-mail: sales@schofieldandsims.co.uk